G

Mae'r llyfr

## DREF WEN

hwn yn perthyn i:

_____

_____

_____

_____

*Adeiladu Tŷ Bach* Geiriau: Margaret Lloyd Hughes
*Pen, Ysgwyddau, Coesau, Traed* Traddodiadol
*Clap, Clap, Un, Dau, Tri* Geiriau: Falyri Jenkins
*Dawns y Bysedd* Geiriau: Falyri Jenkins
*Troi ein Dwylo* Traddodiadol
*Un Bys, Un Bawd yn Symud* Traddodiadol

*Hoffai Gwasg y Dref Wen ddiolch i'r Mudiad Ysgolion Meithrin am eu cymorth parod wrth lunio'r gyfrol hon, ac i Falyri Jenkins a Margaret Lloyd Hughes am ganiatáu (trwy'r Mudiad Ysgolion Meithrin) i ni ddefnyddio geiriau eu caneuon.*

© hawlfraint Dref Wen Cyf. 2008
Lluniau © hawlfraint Linda Webbern 2008
Cyhoeddwyd gyntaf yn 2008 gan Wasg y Dref Wen, 28 Heol yr Eglwys,
Yr Eglwys Newydd, Caerdydd CF14 2EA. Ffôn 029 20617860.

Argraffwyd yn yr Emiradau Arabaidd Unedig.

# Caneuon a Symudiadau

Detholwyd gan Buddug Cole

Lluniau gan Linda Webbern

DREF WEN

Adeiladu tŷ bach,
Un, dau, tri,
To ar ei ben e'
A dyna ni!

Sbïo mewn drwy'r ffenest
Be welwn ni?
Llygoden yn cysgu,
Ust! Da chi!

Llygoden yn cysgu
Yn y tŷ;
Llygoden yn deffro!
Ffwrdd â hi!

Pen, ysgwyddau, coesau, traed,
Coesau, traed.

Pen, ysgwyddau, coesau, traed,
Coesau, traed.

llygaid

clustiau

trwyn

a cheg

Pen, ysgwyddau, coesau, traed

Clap, clap, un, dau, tri,
Clap, clap, un, dau, tri,
Clap, clap, un, dau, tri,
Troi a throi ein dwylo.

Tap, tap, un, dau, tri,
Tap, tap, un, dau, tri,
Tap, tap, un, dau, tri,
Troi a throi ein dwylo.

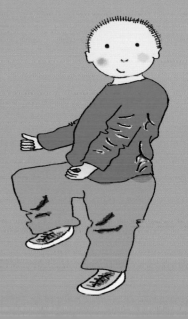

Un bys, dau fys, tri bys yn dawnsio,
Pedwar bys, pum bys, chwe bys yn dawnsio,

Saith bys, wyth bys, naw bys yn dawnsio,
Deg bys yn dawnsio'n llon.

Troi ein dwylo,

Troi ein dwylo,

Troi a throi a throi fel hyn.

Curo'n dwylo,

Curo'n dwylo,

Clap a chlap a chlap fel hyn.

Chwifio'n dwylo,
Chwifio'n dwylo,
Chwifio, chwifio, lan fel hyn.

Un bys, un bawd yn symud,
Un bys, un bawd yn symud,
Un bys, un bawd yn symud,
A ni awn adref yn llon.

Un bys, un bawd, un fraich yn symud,
Un bys, un bawd, un fraich yn symud,
Un bys, un bawd, un fraich yn symud,
A ni awn adref yn llon.

Un bys, un bawd, un fraich, un goes yn symud,
Un bys, un bawd, un fraich, un goes yn symud,
Un bys, un bawd, un fraich, un goes yn symud,
A ni awn adref yn llon.

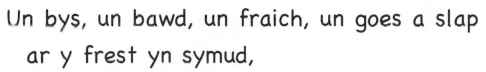

Un bys, un bawd, un fraich, un goes a slap
     ar y frest yn symud,
Un bys, un bawd, un fraich, un goes a slap
     ar y frest yn symud,
Un bys, un bawd, un fraich, un goes a slap
     ar y frest yn symud,
A ni awn adref yn llon.

Un bys, un bawd, un fraich, un goes a slap ar y frest
 a chodi ac eistedd yn symud,
Un bys, un bawd, un fraich, un goes a slap ar y frest
 a chodi ac eistedd yn symud,
Un bys, un bawd, un fraich, un goes a slap ar y frest
 a chodi ac eistedd yn symud,
A ni awn adref yn llon.

Un bys, un bawd, un fraich, un goes a slap ar y frest
  a chodi ac eistedd a chodi a throi yn symud,
Un bys, un bawd, un fraich, un goes a slap ar y frest
  a chodi ac eistedd a chodi a throi yn symud,
Un bys, un bawd, un fraich, un goes a slap ar y frest
  a chodi ac eistedd a chodi a throi yn symud,
A ni awn adref yn llon.

# Hefyd ar gael o Wasg y Dref Wen:

Gwasg y Dref Wen, 28 Church Road, Yr Eglwys Newydd, Caerdydd CF14 2EA
Ffôn 029 20617860
gwerthiant@drefwen.com
www.drefwen.com